Embryonic development
in the eggs of the Pekin Duck

Embryonalentwicklung
in den ~~eiern der~~ Pekingente

Embryonic development in the eggs of the Pekin Duck

Embryonal-entwicklung in den Eiern der Pekingente

R. S. Kaltofen

Centre for Agricultural Publishing and Documentation
Wageningen, 1971

ISBN 90 220 0353 1

Contents

Inhaltsverzeichnis

Introduction

In the practice of artificial incubation many thousands of egg are usually put together in the incubator at one time. Some of them will be unfertilized and among the fertilized ones a certain percentage mortality is found. In experimental research on incubation useful information may be obtained from the dead embryos by determining on which day of incubation each embryo died, and studying the abnormalities that may possibly occur. In research with hen eggs the series of normal stages produced by Hamburger & Hamilton (1951) has proved to be very useful for this purpose. Another usable series of normal stages is that of Künzel (1962). For duck eggs such a series was lacking.

For the present booklet the series of stages by Hamburger & Hamilton and, to a lesser extent, that of Künzel, have served as a model. Hamburger & Hamilton gave more descriptions of embryos than one per day in the first half of the incubation period. In determining the age of the duck embryo one description per day was considered to be sufficient for our aim. However, more attention has been paid to the development of the extra-embryonic membranes. In the first half of the incubation period the determination of embryonic age will be feasible to an accurary of one day; in later stages it may be less accurate, due to variability of speed in embryonic development.

During the first twenty-four days the eggs were incubated in a forced-draft setter operating at a temperature of 37.6 °C and a relative humidity of 60%, the eggs being automatically turned every hour. On the twenty-fourth day they were transferred to a separate forced-draft hatcher, operated at a temperature of 37.1 °C. At pipping time the relative humidity was raised to 75 - 80%. In total about 400 eggs were set.

Before being opened the eggs were cooled in a 4% formaldehyde solution at 0 °C for half an hour to prevent bleeding and candled for the location of the embryo. Then the section of shell to be removed was tapped with a scalpel haft until it was broken into small pieces. Subsequently the shell pieces and the underlaying shell membranes were removed with tweezers. All measurements were made with calipers. The smallest and greatest values of the measurements of the blastoderm, the area vasculosa, the whole limbs etc. are given. From the lenght of the beak and the third toe the mean of the observed values and the standard deviation are given in the descriptions. All illustrations, and most of the descriptions, are based on fresh material. Only in those cases where there was not enough time for observations on the fresh embryos were they stored for one or more days in a 4% formaldehyde solution. The eggs of the Pekin duck are rather big, as apparent from the following data on 50 random-sampled eggs:

	minimum	maximum	average
Length (cm)	6.2	7.1	6.7
Width (cm)	4.7	6.2	5.0
Weight (g)	78.0	105.0	93.4

In many cases it is difficult to differentiate between the blunt and pointed end of the egg. Often the air cell is found at the pointed end of the egg instead of the blunt end. In hen eggs the air cell is normally situated in the blunt end of the egg. A relation between the antero-posterior axis of the embryo and the axis of the entire egg has been reported in duck eggs as well as in the eggs of other birds (Romanoff, 1960). The blastoderm will usually be found under that part of the shell which is turned upwards.

If the egg is placed with the blunt end to the left, the embryo in the blastoderm will develop with its head directed away from the observer (von Bear's rule). However, the embryonic axis will not always be exactly at right angles to the axis of the egg (for more extensive information see Romanoff). Although no exact data were collected for this particular study, embryonic orientation in the Pekin duck seemed to be rather variable. This may be related to the above mentioned difficulties in discerning the blunt and the pointed end and the location of the air cell.

The descriptions of the embryonic stages are only valid for the Pekin duck. The results may not be applicable to other kinds of ducks, with probably different lenghts of incubation time and different sizes.

The numbers of the illustrations correspond with embryonic age expressed as incubation days. The illustrations are classified into five groups indicated by letters after the numbers:

a   General view of the egg contents after partial removal of shell and shell membranes (stages 0 - 26).

b   Idem, after additional removal of part of the chorio-allantois (stages 13 - 27).

c   The embryo proper (stages 0 - 27).

d   The separate right wing (stages 5 - 27).

e   The separate right leg: e_1 upper view (stages 5 - 13), e_2 right side view (stages 10 - 27).

The photographs were made by Mr. D. de Boer, to whom I wish to express my true appreciation of his skilful contribution.

Einleitung

Beim künstlichen Ausbrüten legt man meistens
Tausende von Eiern gleichzeitig in den Brut-
apparat. Manche Eier werden unbefruchtet sein
und von den befruchteten wird ein gewisser
Prozentsatz sterben. Aus Brutversuchen kann
man nützliche Informationen gewinnen, indem
man jeweils bestimmt, am wievielten Bruttag der
Embryo gestorben ist, und seine etwaigen Ab-
weichungen untersucht. Für diesen Zweck
hat sich bei Versuchen mit Hühnereiern die
Reihe normal verlaufener Entwicklungsstadien,
die Hamburger & Hamilton (1951) veröffentlicht
haben, als sehr nützlich erwiesen. Eine andere
brauchbare Reihe ist die von Künzel (1962).
Eine entsprechende Serie von Enteneiern fehlte.

Für das vorliegende Heft hat besonders die
Abhandlung von Hamburger & Hamilton und in
geringerem Maße die von Künzel als Vorbild
gedient.
Hamburger & Hamilton gaben mehr als eine
Beschreibung der Embryonen von jedem Tag in
der ersten Hälfte der Brutzeit. Für die Bestim-
mung des Alters des Entenembryos schien uns
eine Beschreibung von jedem Tag ausreichend
für unseren Zweck. Mehr Aufmerksamkeit wurde
jedoch den Embryonalhüllen gewidmet. In der
ersten Hälfte der Brutzeit wird man das Alter
des Embryos auf einen Tag genau bestimmen
können – in späteren Stadien wohl weniger
genau infolge der Variabilität in der Geschwin-

digkeit der Embryonalentwicklung.

Während der ersten 24 Tage der Brut lagen die Eier in einem Vorbrüter bei 37,6 °C und einer relativen Luftfeuchtigkeit von 60%, wo sie stündlich automatisch gewendet wurden. Am 24. Tag wurden sie bei 37,1 °C in einen Schlupfbrüter umgelegt. Zur Zeit des Anpickens steigerte man die relative Luftfeuchtigkeit auf 75 bis 80%. Im ganzen wurden etwa 400 Eier eingelegt.

Vor dem Öffnen wurden die Eier eine halbe Stunde in einer 4%-igen Formaldehydlösung von 0 - 5 °C gekühlt, um eine Blutung zu verhüten und durchleuchtet, um den Platz des Embryos festzustellen. Dan wurde der zu entfernende Teil der Schale mit dem Heft eines Skalpells beklopft, bis sie in kleine Stückchen zerbrochen war. Anschließend entfernte man die Schalenstückchen und die Schalenhaut mit einer Pinzette.

Alle Messungen erfolgten mit einem Greifzirkel. Die Mindest- und Höchstwerte der Messungen der Keimscheibe, der Area vasculosa, der Extremitäten usw. sind angegeben. Von der Länge des Schnabels und der dritten Zehe sind die mittleren der beobachteten Werte und die Standardabweichungen in der Beschreibung erwähnt. Alle Abbildungen und die meisten Beschreibungen wurden vom lebenden Material gemacht.

Nur in den Fällen, wo die Zeit für Beobachtungen daran fehlte, wurden die Embryonen einen oder mehrere Tage in einer 4%-igen Formaldehydlösung aufbewahrt.

Die Eier der Pekingente sind ziemlich groß; das zeigen die folgenden Zahlen die sich auf 50 beliebig ausgewählte Eier beziehen:

	Mindest-zahl	Höchst-zahl	Durch-schnitt
Länge (cm)	6,2	7,1	6,7
Breite (cm)	4,7	6,2	5,0
Gewicht (g)	78,0	105,0	93,4

In vielen Fällen sind das stumpfe und das spitze Ende schwer voneinander zu unterscheiden. Oft findet man die Luftkammer am spitzen statt am stumpfen Ende. In Hühnereiern befindet sie sich normalerweise am stumpfen Ende. Eine Beziehung zwischen der Längsachse des Embryos und der Achse des ganzen Eies hat man sowohl in Enteneiern wie in Eiern anderer Vögel beobachtet (Romanoff, 1960). Die Keim- scheibe wird man meistens unter dem aufwärts gerichteten Teil der Schale finden. Wenn man das Ei mit dem stumpfen Ende nach links legt, wird sich der Embryo in der Keim- scheibe mit dem Kopf vom Beobachter abge- wendet entwickeln (von Baer's Regel). Die Embryonalachse wird aber nicht immer genau rechtwinklig zur Eiachse liegen (für ausführliche- re Angaben siehe Romanoff). Für diese Studie wurden über die Lage des Embryos der Pekingente keine genauen Daten gesammelt. Sie schien aber ziemlich veränder- lich zu sein. Das mag mit den oben erwähnten

Schwierigkeiten zusammenhängen, stumpfes und spitzes Ende und den Platz der Luftkammer zu unterscheiden.

Die Beschreibungen der Embryonalstadien gelten nur für die Pekingente und möglicherweise nicht für andere Entenarten. Es ist möglich, daß dort die Dauer der Brutzeit und die Meßwerte anders ausfallen.

Die Nummern der Abbildungen entsprechen dem Alter des Embryos an Bruttagen. Die Buchstaben hinter den Nummern beziehen sich auf die folgenden fünf Gruppen:

a   Gesamtansicht des Ein-Inhaltes nach teilweiser Entfernung der Schale und der Schalenhäute (Stadien 0-26).

b   Dasselbe wie oben, aber nachdem auch ein Teil der Chorio-Allantois entfernt worden ist (Stadien 13-27).

c   Der eigentliche Embryo (Stadien 0-27).

d   Der rechte Flügel für sich (Stadien 5-27).

e   Das rechte Bein für sich: e_1 von oben gesehen (Stadien 5-13), e_2 von rechts gesehen (Stadien 10-27).

Die Photographien hat Herr D. de Boer gemacht. Für diesen fachkundigen Beitrag will ich ihm meinen aufrichtigen Dank bezeugen.

Unincubated egg

Blastoderm White spot on the yolk of about 3 mm diameter in which two regions are more or less clearly visible: the area pellucida (the central part) within which the embryo proper arises, and the area opaca (the peripheral region) from which amnion, chorion and yolk sac are derived. Occasionally the embryonic shield is distinguishable, due to a thickening of the posterior part of the area pellucida. In most eggs the periblast is visible as a ring-shaped structure in the yolk surrounding the blastoderm.

Unbebrütetes Ei

Keimscheibe Weißen Flecken auf dem Dotter von etwa 3 mm Durchmesser. Zwei Bezirke sind mehr oder weniger deutlich sichtbar: die Area pellucida (die Mitte, aus der der eigentliche Embryo entsteht) und die Area opaca (der periphere Teil, aus dem Amnion, Chorion und Dottersack entstehen). Gelegentlich ist der 'Embryonalschild' (eine Verdickung des hinteren Teiles der Area pellucida) erkennbar. In den meisten Eiern sind Halonen sichtbar als ringförmige Struktur im Dotter um die Keimscheibe.

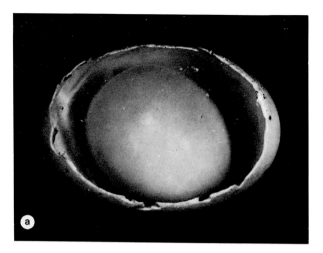

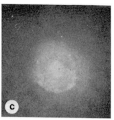

After one day

Blastoderm Outer diameter 5-7 mm. The primitive streak may be distinguished as a linear structure stretching from the posterior edge of the pear shaped area pellucida to the centre.

Nach einem Tag

Keimscheibe Durchmesser 5 - 7 mm. Der Primitivstreifen ist unter Umständen erkennbar als eine linienförmige Struktur, die sich vom hinteren Rand der birnenförmigen Area pellucida bis zur Mitte erstreckt.

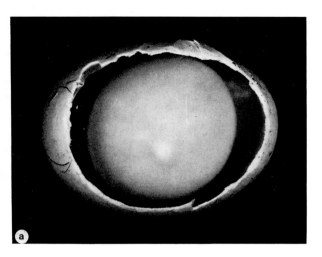

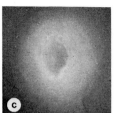

After two days

Blastoderm   Outer diameter 10-21 mm. Usually showing a considerable extention over the surface of the yolk. Area vasculosa distinguishable; blood islands not yet present.
Embryo   Length 3-6 mm, visible within the oval or pear-shaped area pellucida.
Amnion   Head fold usually covering the head and a few pairs of somites.

Nach zwei Tagen

Keimscheibe   Außendurchmesser 10 - 21 mm. Meistens erstreckt sie sich weit über die Oberfläche des Dotters. Die Area vasculosa der Dottersack ist erkennbar. Blutinseln sind noch nicht vorhanden.
Embryo   Länge 3 - 6 mm, sichtbar innerhalb der ovalen oder birnenförmigen Area pellucida.
Amnion   Die Kopffalte bedeckt meistens den Kopf und einige wenige Urwirbel.

After three days

Blastoderm   Diameter 34-41 mm. Outer edge of area vitellina approaching yolk equator. Blood vessels visible in the area vasculosa; only partially filled with blood; at least blood islands clearly visible. Diameter of marginal vein 12-20 mm.
Embryo   Length 8-9.5 mm. Because of rotation the head has come to lie with the left side downward. Cervical flexure with broad curve.
Amnion   Covering more than two-thirds of the embryo.

Nach drei Tagen

Keimscheibe   Durchmesser 34 - 41 mm. Der Außenrand der Area vitellina nähert sich dem Dotteräquator. In der Area vasculosa sind Blutgefäße sichtbar, die nur zum Teil mit Blut gefüllt sind; zumindest sind Blutinseln klar sichtbar. Durchmesser des Randsinuskreises 12 - 20 mm.
Embryo   Länge 8 - 9,5 mm. Infolge der Drehung kam der Kopf mit der linken Seite nach unten zu liegen. Nackenbeuge stumpfwinklig.
Amnion   Bedeckt mehr als Drittel des Embryos.

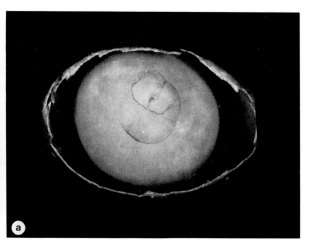

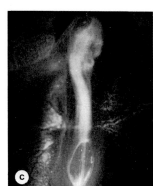

After four days

Blastoderm   Outer edge of area vitellina reaching beyond equator of egg. Area vasculosa (yolk sac) with fully developed blood vessels filled with blood. Diameter of ring formed by marginal vein 21-36 mm.
Embryo   Rotated on its left side. Cervical flexure showing an acute angle between medullar axis and trunk axis. Maxillary process and four visceral arches discernable. Wing buds as well as leg buds distinct. Eyes still unpigmented. Tail unsegmented, bent forward.
Amnion   Usually closed.
Allantois   Mostly not yet visible.

Nach vier Tagen

Keimscheibe   Der Außenrand der Area vitellina reicht bis über den Äquator des Eies. Die Area vasculosa hat vollständig entwickelte Blutgefäße mit Blut. Den Durchmesser des vom Randsinus gebildeten Kreises beträgt 21-36 mm.
Embryo   Auf die linke Seite gedreht. Die Nackenbeuge zeigt einen scharfen Winkel zwischen Halsachse und Rumpfachse. Maxillarfortsatz und vier Visceralbogen erkennbar. Flügelanlagen sowohl wie Beinanlagen deutlich. Schwanz unsegmentiert, vorwärts gebeugt.
Amnion   Gewöhnlich geschlossen.
Allantois   Meistens noch nicht sichtbar.

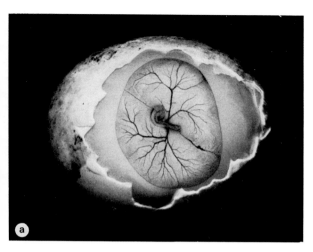

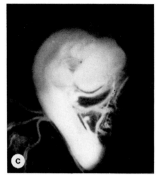

After five days

Yolk sac   Diameter of marginal vein 38-44 mm.
Embryo   Eye pigmentation usually distinct. Midbrain forming protruding bump on head. Limb buds elongated, pointing backwards. Segmentation of tail may be complete.
Allantois   A vesicular pocket originating from the hindgut, usually covering the caudal region of the body (legs and tail) and part of the head.

Nach fünf Tagen

Dottersack   Durchmesser des Randsinuskreises 38 - 44 mm.
Embryo   Augenpigmentierung gewöhnlich deutlich. Das Mittelhirn bildet einen am Kopf hervortretenden Höcker. Anlagen der Extremitäten verlängert, rückwärts zeigend. Der Schwanz kann schon vollständig segmentiert sein.
Allantois   Ein blasenartiger Auswuchs des Enddarmes. Meistens bedeckt er die Schwanzgegend des Körpers und einen Teil des Kopfes.

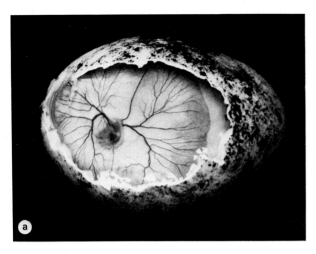

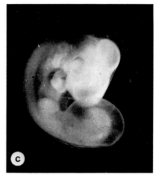

After six days

Eyes Darkened pigmentation; choroid fissure clearly contrasting with pigmentation as a white linear interruption.

Limbs Toe plate and digital plate distinct. Faint grooves demarcating the toes sometimes discernable in the toe plate. Digital plate without any demarcations.

Brains Midbrain more prominent from the head contour than in five days old embryo; forebrain and hindbrain also clearly visible but not prominent.

Chorion Joining inner shell membrane.

Allantois Enlarged, spreading within extra-embryonic coelom. Where contacting, grown together with chorion, thus giving rise to the very vascular chorio-allantois.

Nach sechs Tagen

Augen Pigmentierung dunkler. Die Chorioidspalte hebt sich deutlich von der Pigmentierung ab als eine weiße, linienförmige Unterbrechung.

Extremitäten Unklare Interdigitalrinnen sind im Fuß erkennbar. Flügel ohne jegliche Differenzierung.

Hirn Das Mittelhirn steht stärker am Kopf hervor als beim fünf Tage alten Embryo. Vorderhirn und Hinterhirn sind auch deutlich sichtbar, stehen aber nicht hervor.

Chorion Liegt gegen die innere Schalenhaut an.

Allantois Vergrößert, breitet sich in der außerembryonalen Leibeshöhle aus. Wo die Allantois und das Chorion einander berühren, wachsen sie zusammen, und es entsteht die sehr gefäßreiche Chorio-Allantois.

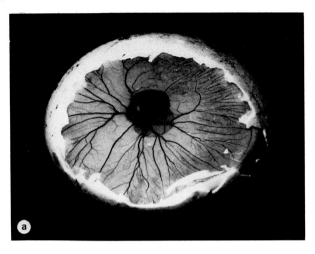

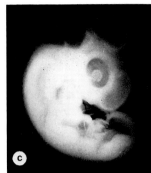

After seven days

Limbs Length of leg (from base to top) 3.8-4.9 mm. Two or three toes may be distinct. Wing (from base to top) 3.6-4.2 mm long, bent in elbow. Digits barely recognizable.

Brains Midbrain reaching its most outstanding appearance. Straight lines along outer contours of midbrain and hindbrain, and of midbrain and forebrain form an acute angle.

Tail A thickened cone, the top of which is bent forward.

Beak Not yet recognizable, though mandibular, maxillary and fronto-nasal processes distinct.

Allantois Usually circular, covering whole embryo and part of yolk sac. Two arteries and one vein easily found.

Nach sieben Tagen

Extremitäten Länge des Beines 3,8 - 4,9 mm. Zwei oder drei Zehen können deutlich sichtbar sein. Flügel 3,6 - 4,2 mm lang, im Ellbogen gebeugt.
Digiti sind kaum erkennbar.

Hirn Das Mittelhirn erreicht seine auffälligste Form. Gerade Linien, entlang den äußeren Umrissen von Mittelhirn und Hinterhirn und von Mittelhirn und Vorderhirn, bilden einen scharfen Winkel.

Schwanz Ein verdickter Kegel mit vorwärts gebeugtem Zipfel.

Schnabel Noch nicht erkennbar, obwohl Fortsätze von Unter- und Oberkiefer und Frontonasalfortsatz deutlich.

Allantois Gewöhnlich kreisförmig, den ganzen Embryo und einen Teil des Dottersacks bedeckend. Zwei Arterien und eine Vene sind leicht erkennbar.

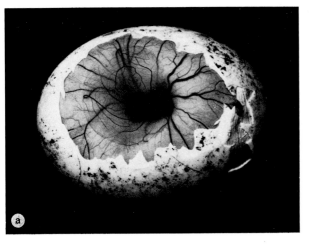

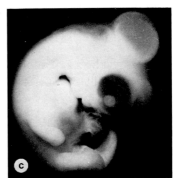

After eight days

Eyes Pigmentation darkened, with contrasting choroid fissure fading away. Usually no scleral papillae.
Limbs Leg 6.5-7.0 mm long. First toe barely discernable but toes 2, 3 an 4 distinct. Wing 5.4-6.3 mm long, with three distinct digits.
Brains Midbrain less prominent than in previous stage. Forebrain almost as conspicious as midbrain. Straight lines along outer contours of midbrain and hindbrain, and midbrain and forebrain at approximately right angles.
Beak Clearly recognizable; mandibular and fronto-nasal processes closely approaching each other.
Allantois Considerably enlarged, more or less heart-shaped due to growth decrease in neighbourhood of allantois-vein.

Nach acht Tagen

Augen Pigmentierung dunkler; die Chorioidspalte wird unklarer. Gewöhnlich noch keine Scleralpapillen sichtbar.
Extremitäten Bein 6,5 - 7,0 mm lang. Erste Zehe kaum erkennbar, zweite, dritte und vierte aber deutlich.
Flügel 5,4 - 6,3 mm lang mit drei deutlichen Digiti.
Hirn Mittelhirn weniger hervorstehend als im vorigen Stadium. Vorderhirn fast so auffällig wie Mittelhirn. Gerade Linien, entlang den äußeren Umrissen von Mittelhirn und Hinterhirn und von Mittelhirn und Vorderhirn, bilden etwa einen rechten Winkel.
Schnabel Deutlich erkennbar. Mandibularfortsatz und Frontonasalfortsatz kommen sich sehr nahe.
Allantois Erheblich vergrößert, mehr oder weniger herzförmig infolge von Wachstumabnahme in der Nähe der Allantoisvene.

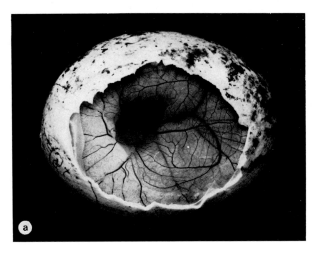
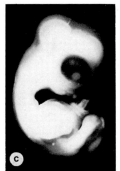

After nine days

Eyes With 6-12 distinct scleral papillae. Upper eyelid, lower eyelid and nictitating membrane distinct, covering part of pigmentation.

Limbs Leg about 9.5 mm long. Four toes distinct, carpalia discernable. Contours of webs between toes are almost straight lines. Wing about 8.5 mm long, with web between digits 1 and 2.

Brains Midbrain further reduced in size. Straight lines along outer contours of midbrain and hindbrain, and of midbrain and forebrain form an obtuse angle.

Beak Jaws of about equal length. Egg tooth on tip of upper jaw distinct.

Allantois Two conspicious lobes at either side of sero-amniotic connection.

Nach neun Tagen

Augen Mit 6 - 12 deutlichen Scleralpapillen. Unteres Lid, oberes Lid und Nickhaut deutlich. Bedecken einen Teil der Pigmentierung.

Extremitäten Bein etwa 9,5 mm lang. Vier Zehen deutlich, Carpalia erkennbar. Die Grenzen der Schwimmhäute zwischen den Zehen sind fast gerade Linien. Flügel etwa 8,5 mm lang mit Haut zwischen den Digiti 1 und 2.

Hirn Mittelhirn weiter verkleinert. Gerade Linien, entlang den äußeren Umrissen von Mittelhirn und Hinterhirn und von Mittelhirn und Vorderhirn, bilden einen stumpfen Winkel.

Schnabel Kiefer etwa gleich lang. Eizahn am Ende des Oberkiefers deutlich.

Allantois Mit zwei auffälligen Quabben beiderseits der Amnionnaht.

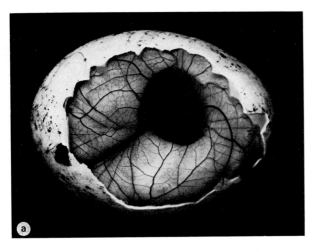

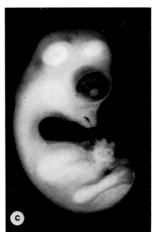

After ten days

Eyes   11-13 scleral papillae visible, so the circle of papillae is almost complete. Edge of lower eyelid touching circle of sclerial papillae, sometimes covering a few of them. Nictitating membrane extending about halfway from corner of eye towards circle of scleral papillae.

Limbs   Webs between toes slightly concave. Length of third toe, measured from middle of the metatarsal joint to tip, 3.3 $\pm$ 0.3 mm. Webs between digits of wings vanished. Second and third digit grown together.

Beak   Considerably increased in size, 5.4 $\pm$ 0.4 mm long when measured from corner to distal edge of upper jaw.

Feather germs   Five rows at either side of median line at back of embryo. Others may be present at haunch, thigh and shoulder.

Uropygial gland   A thickening in the dorsal coccygeal region.

Allantois   The chorio-allantois starts to overlap the sero-amniotic connection; the tension caused by this process in the extra-embryonic membranes may be obvious.

Nach zehn Tagen

Augen   11-13 Scleralpapillen sichtbar. Der Papillenring ist also fast vollständig. Der Rand des oberen Lides berührt den Ring der Papillen und bedeckt ab und zu einige von ihnen. Die Nickhaut erstreckt sich etwa halbwegs vom Augenwinkel bis zum Papillenring.

Extremitäten   Grenzlinien der Schwimmhäute zwischen den Zehen etwas eingebeugt. Länge der dritten Zehe (von der Mitte des Mittelfußgelenkes bis zur Spitze) 3,3 $\pm$ 0,3 mm. Haut zwischen den Digiti der Flügel verschwunden. 2. und 3. Digitus zusammengewachsen.

Schnabel   Erheblich vergrößert, 5,4 $\pm$ 0,4 mm lang von dem Mundwinkel bis zum distalen Rand des Oberkiefers.

Federkeime   Fünf Reihen beiderseits der Mittellinie am Rücken des Embryos und an der Schulter. Andere findet man am Oberschenkel.

Bürzeldrüse   Verdickung in der dorsalen Steißgegend.

Allantois   Die Chorio-Allantois beginnt die Amnionnaht zu überlappen. Die hierdurch hervorgerufene Spannung kann sichtbar sein.

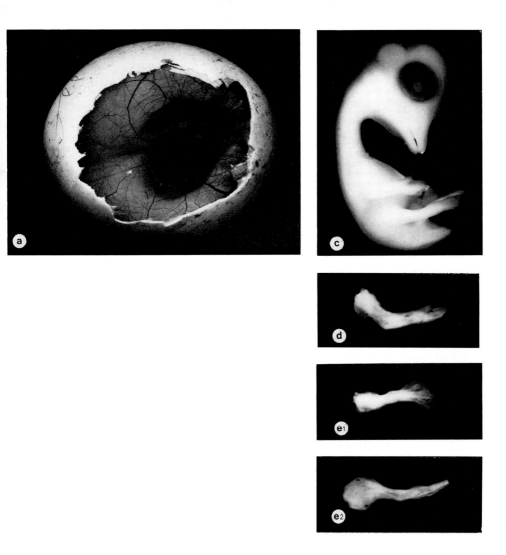

After eleven days

Eyes Some scleral papillae at ventral and caudal sides are covered by the eyelids. The nictitating membrane is approaching the circle of scleral papillae.

Limbs Nails mostly recognizable. Length of third toe 4.6 ± 0.2 mm. Web between first and second toe vanished.

Beak Length from corner to distal edge of upper jaw 6.9 ± 0.3 mm.

Feather germs Six or seven rows at either side of the median line at the back of the embryo. New germs have appeared, among others, above the eyes and at neck, tail and abdomen. A smooth strip may be found in the sternal region.

Uropygial gland Distinct.

Allantois Overlapping of the sero-amniotic connection usually takes place about this time, followed soon after by fusion of the two allantoic lobes.

Nach elf Tagen

Augen Einige der ventro-caudal liegenden Scleralpapillen sind von den Augenlidern bedeckt. Die Nickhaut nähert sich dem Papillenring.

Extremitäten Nägel meistens erkennbar. Länge der dritten Zehe 4,6 ± 0,2 mm, Schwimmhaut zwischen erster und zweiter Zehe verschwunden.

Schnabel Länge von dem Mundwinkel bis zum distalen Rand des Oberkiefers 6,9 ± 0,3 mm.

Federkeime Sechs oder sieben Reihen beiderseits der Mittellinie am Rücken des Embryos. Es sind neue Keime erschienen, unter anderem über den Augen, am Nacken, am Schwanz und am Abdomen. In der Gegend des Brustknochens kann sich ein glatter Streifen befinden.

Bürzeldrüse Deutlich.

Allantois Die Überwachsung der Amnionnaht findet gewöhnlich um diese Zeit statt, bald gefolgt vom Zusammenschluß der beiden Allantoisquabben.

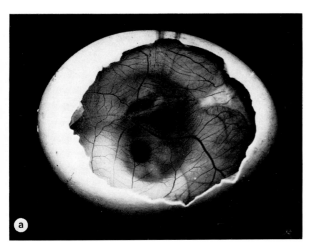

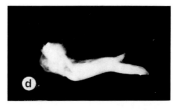

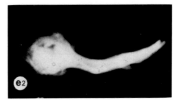

After twelve days

Eyes　The nictitating membrane may have reached or passed the circle of scleral papillae.

Limbs　Nails distinct. Length of third toe 5.9 ± 0.2 mm. Plantar pads developing on the plantar surface of the foot.

Beak　Length from corner to distal edge of upper jaw 8.2 ± 0.7 mm.

Feather germs　New germs have appeared in the region under the eyes and around the auditory opening. Flight-feather germs on posterior margin of wing conspicuous.

Allantois　Fusion of lobes progressing towards the back, thus giving rise to the diverticulum of the albumen sac. During this process the anterior lobe overlaps the posterior one. The fusing lobes remain separated by the interallantoic septum.

Nach zwölf Tagen

Augen　Die Nickhaut kann den Scleralpapillenring erreicht oder überschritten haben.

Extremitäten　Nägel deutlich. Länge der dritten Zehe $5,9 \pm 0,2$ mm. Auf der Fußsohle entwickeln sich Kissen.

Schnabel　Länge von dem Mundwinkel bis zum distalen Rand des Oberkiefers $8,2 \pm 0,7$ mm.

Federkeime　Unter den Augen und um die Gehöröffnung sind neue Keime erschienen. Flugfedernkeime am hinteren Rand des Flügels deutlich.

Allantois　Der Zusammenschluß der Quabben schreitet fort, wodurch sich das Diverticulum des Eiweißsackes gestaltet. Während dieses Vorganges überlappt die vordere Quabbe die hintere. Die sich zusammenschließenden Quabben bleiben durch die Scheidewand getrennt.

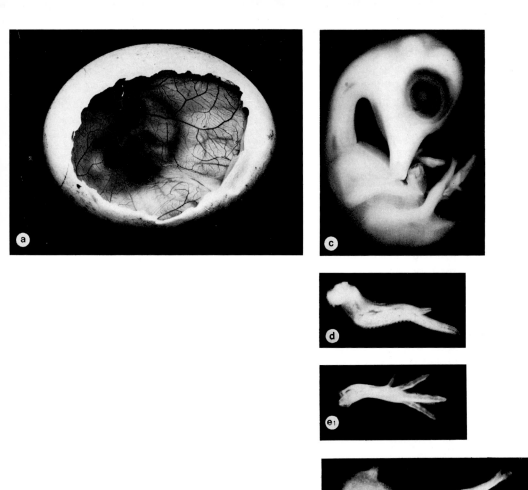

After thirteen days

Eyes   Most scleral papillae (usually all) are covered by the eyelids. Nictitating membrane and lower eyelid are approaching the cornea; the latter may have reached it.
Limbs   Length of third toe 6.9 $\pm$ 0.4 mm. Plantar pads distinct.
Feather germs   Covering about half of the neck. New ones have appeared in the region between the eyes and on the skull. Besides the conspicious germs of the flight-feathers other rows of feather germs (up to six) are distinct on the upper surface of the wing.
Beak   Length from corner to distal edge of upper jaw 9.2 $\pm$ 0.6 mm.
Allantois   Chorio-allantois more or less adhered to the shell.

Nach dreizehn Tagen

Augen   Die meisten Scleralpapillen (gewöhnlich alle) sind von den Lidern bedeckt. Die Nickhaut und das untere Lid nähern sich der Cornea; das untere Lid kann sie schon erreicht haben.
Extremitäten   Länge der dritten Zehe 6,9 $\pm$ 0,4 mm. Sohlenkissen deutlich.
Federkeime   Bedecken etwa die Hälfte des Nackens. Neue sind zwischen den Augen und auf dem Schädel erschienen. Außer den auffälligen Keimen der Flugfedern sind andere Reihen von Federkeimen (bis zu sechs) auf der oberen Fläche des Flügels deutlich erkennbar.
Schnabel   Länge von dem Mundwinkel bis zum distalen Rand des Oberkiefers 9,2 $\pm$ 0,6 mm.
Allantois   Chorio-Allantois mehr oder weniger mit der Schale verklebt.

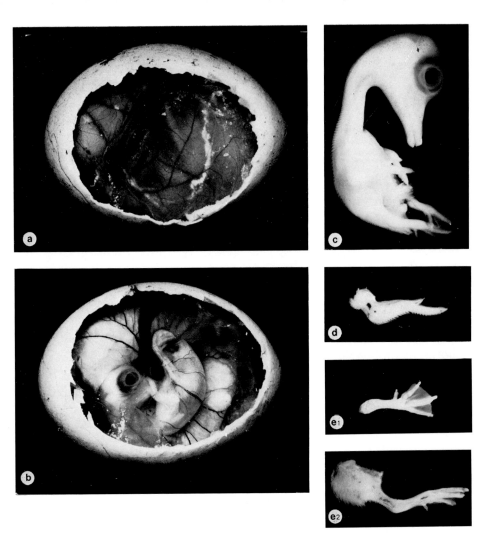

After fourteen days

Eyes Part of the cornea covered by the lower eyelid. The nictitating membrane may reach to the cornea.

Limbs Length of third toe 9.0 $\pm$ 0.7 mm. Indication of scales on upper surfaces of metatarsus and phalanges.

Feather germs New ones are discernable on the upper and lower eyelids, on the first digit of the wing and on the cranial half of the neck. The germs on the body are much elongated, especially those on back and tail.

Beak Length from corner to distal edge of upper jaw 10.6 $\pm$ 1.4 mm.

Allantois Chorio-allantois solidly adhered to the shell. The formation of the albumen sac has started.

Nach vierzehn Tagen

Augen Ein Teil der Cornea ist vom unteren Lid bedeckt. Die Nickhaut kann die Cornea erreicht haben.

Extremitäten Länge der dritten Zehe 9,0 $\pm$ 0,7 mm. Andeutung von Schuppen auf der Oberseite des Laufbeins und der Zehen.

Federkeime Neue sind erkennbar auf dem oberen und unteren Augenlid, auf dem ersten Digitus des Flügels und auf der Schädelhälfte des Nackens. Die Keime auf dem Rumpf sind viel länger geworden, besonders die auf Rücken und Schwanz.

Schnabel Länge von dem Mundwinkel bis zum distalen Rand des Oberkiefers 10,6 $\pm$ 1,4 mm.

Allantois Chorio-Allantois fest mit der Schale verbunden. Die Bildung des Eiweißsackes hat angefangen.

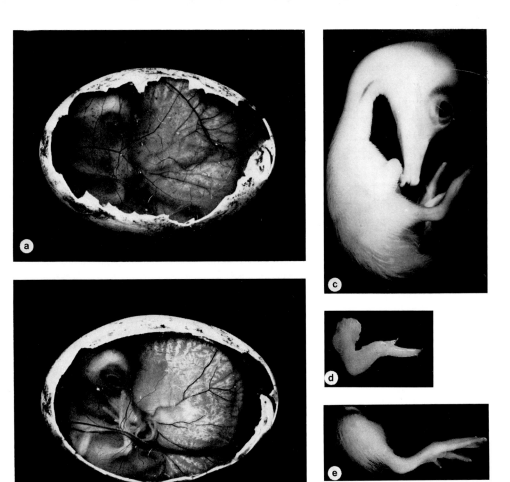

After fifteen days

Eyes   Half of the cornea may be covered by the lower eyelid. The rim of the upper eyelid shows about half a circle.

Limbs   Length of third toe 10.1 $\pm$ 0.8 mm. Scales on leg distinct.

Feather germs   Considerably increased in length, especially those on body; The germs are still small in the cranial region of the neck and on the skull.

Beak   Length from corner to distal edge of upper jaw 11.7 $\pm$ 0.6 mm.

Allantois   Formation of albumen sac progressing.

Nach fünfzehn Tagen

Augen   Die Hälfte der Cornea kann vom unteren Lid bedeckt sein. Der Rand des oberen Lides ist etwa halbkreisförmig.

Extremitäten   Länge der dritten Zehe 10,1 $\pm$ 0,8 mm. Schuppen auf dem Bein deutlich.

Federkeime   Erheblich länger, besonders am Rumpf. Klein sind sie noch auf dem oberen Teil des Nackens und auf dem Schädel.

Schnabel   Länge von dem Mundwinkel bis zum distalen Rand des Oberkiefers 11,7 $\pm$ 0,6 mm.

Allantois   Die Bildung des Eiweißsackes schreitet fort.

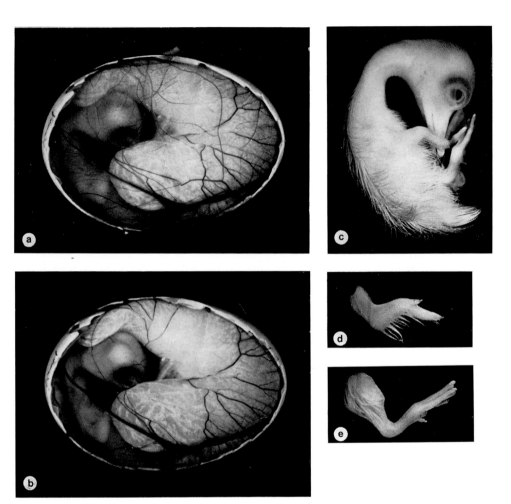

After sixteen days

Eyes The lower eyelid may cover more than half of the cornea, but the opening between the eyelids is hardly reduced.

Limbs Length of third toe 11.3 ± 1.0 mm.

Feather germs Still very small on the eyelids and at the ventral side of the neck.

Beak Length from corner to distal edge of upper jaw 12.4 ± 0.4 mm.

Allantois Albumen sac almost closed.

Nach sechzehn Tagen

Augen Das untere Lid kann mehr als die Hälfte der Cornea bedecken, aber der Lidspalt ist kaum kleiner geworden.

Extremitäten Länge der dritten Zehe 11,3 ± 1,0 mm.

Federkeime Noch sehr klein auf den Augenlidern und ventral am Hals.

Schnabel Länge von dem Mundwinkel bis zum distalen Rand des Oberkiefers 12,4 ± 0,4 mm.

Allantois Eiweißsack fast geschlossen.

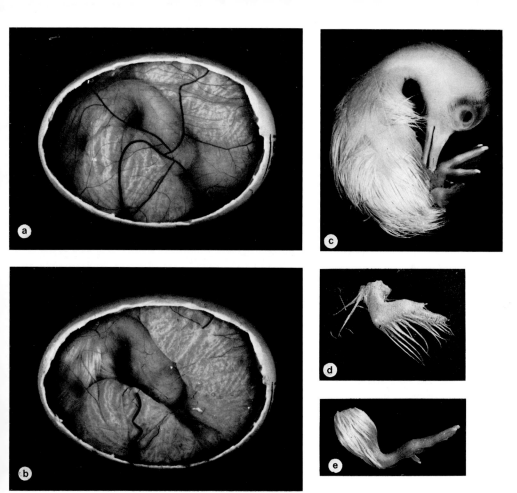

After seventeen days

Eyes Opening between upper and lower eyelids slightly reduced as compared with the sixteen-day embryo.
Limbs Length of third toe 12.4 ± 0.7 mm.
Beak Length from corner to distal edge of upper jaw 12.8 ± 0.7 mm.
Allantois Albumen sac sometimes closed; in many eggs, however, it remains open until hatching.

Nach siebzehn Tagen

Augen Lidspalt etwas kleiner als beim sechzehntägigen Embryo.
Extremitäten Länge der dritten Zehe 12,4 ± 0,7 mm.
Schnabel Länge von dem Mundwinkel bis zum distalen Rand des Oberkiefers 12,8 ± 0,7 mm.
Allantois Eiweißsack mitunter geschlossen. In vielen Eiern bleibt er aber bis zum Ausschlüpfen offen.

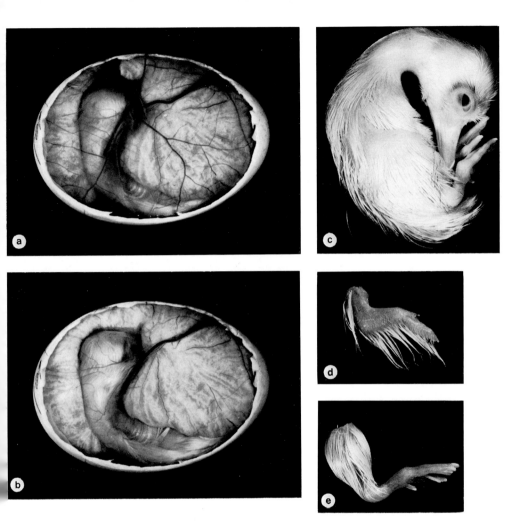

After eighteen days

Eyes Opening between the eyelids considerably reduced.
Limbs Length of third toe 13.6 ± 0.7 mm.
Beak Length from corner to distal edge of upper jaw 14.0 ± 0.7 mm.

Nach achtzehn Tagen

Augen Lidspalt erheblich verkleinert.
Extremitäten Länge der dritten Zehe 13,6 ± 0,7 mm.
Schnabel Länge von dem Mundwinkel bis zum distalen Rand des Oberkiefers 14,0 ± 0,7 m.

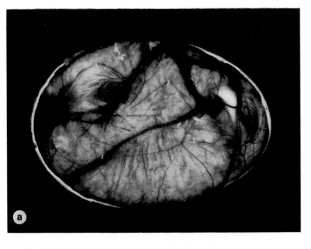

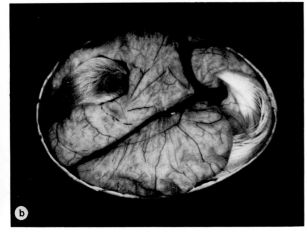

After nineteen days

Eyes   Eyelids not totally closed.
Limbs   Length of third toe 14.9
± 0.4 mm.
Beak   Length from corner to distal
edge of upper jaw 14.8 ± 0.3 mm.
Later the increasing variability in
beak length diminishes its utility
as a parameter of age; values
hereafter will be given only every
two days.

Nach neunzehn Tagen

Augen   Lider noch nicht ganz geschlossen.
Extremitäten   Länge der dritten
Zehe 14,9 ± 0,4 mm.
Schnabel   Länge von dem Mundwinkel bis zum distalen Rand des
Oberkiefers 14,8 ± 0,3 mm. Später
ist der Wert der Schnabellänge als
Altesmaßstab geringer infolge der
zunehmenden Variabilität. Zahlen
sind weiterhin nur für jeden zwei-
ten Tag angegeben.

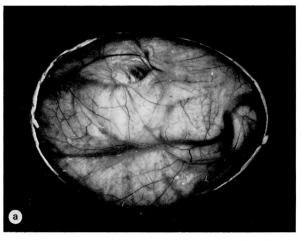

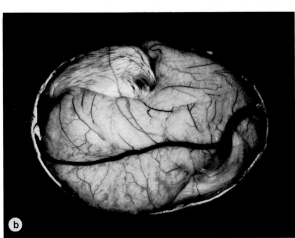

After twenty days

Eyes   From now on the eyes may be closed or open.
Limbs   Length of third toe 16.6 ± 1.3 mm.

Nach zwanzig Tagen

Augen   Von jetzt an können die Augen geschlossen oder offen sein.
Extremitäten   Länge der dritten Zehe 16,6 ± 1,3 mm.

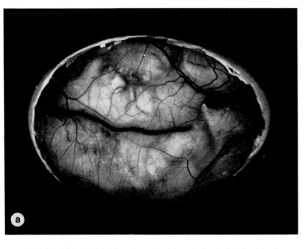

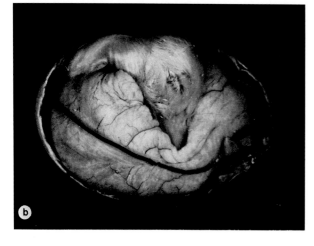

After twenty-one days

Limbs   Length of third toe 18.9 ± 1.1 mm.

Beak   Length from corner to distal edge of the upper jaw 15.5 ± 0.6 mm.

Nach einundzwanzig Tagen

Extremitäten   Länge der dritten Zehe 18,9 ± 1,1 mm.

Schnabel   Länge von dem Mundwinkel bis zum distalen Rand des Oberkiefers 15,5 ± 0,6 mm.

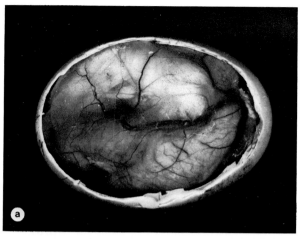

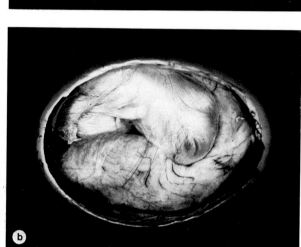

After twenty-two days

Limbs Length of third toe 20.7
± 1.5 mm.

Nach zweiundzwanzig Tagen

Extremitäten Länge der dritten
Zehe 20,7 ± 1,5 mm.

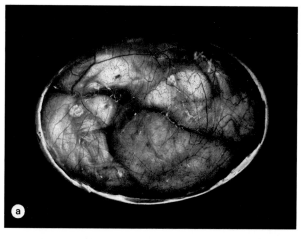

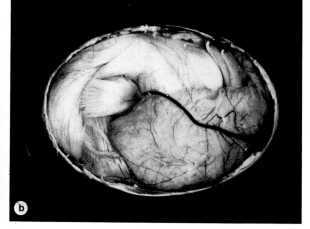

After twenty-three days

Limbs Length of third toe 22.6 ± 2.5 mm.

Beak Length from corner to distal edge of upper jaw 16.1 ± 0.9 mm.

Yolk sac Still wholly outside the body of the embryo.

Intestine Still partly outside the body of the embryo.

Nach dreiundzwanzig Tagen

Extremitäten Länge der dritten Zehe 22,6 ± 2,5 mm.

Schnabel Länge von dem Mundwinkel bis zum distalen Rand des Oberkiefers 16,1 ± 0,9 mm.

Dottersack Noch ganz außerhalb des Körpers des Embryos.

Darm Noch teilweise außerhalb des Körpers des Embryos.

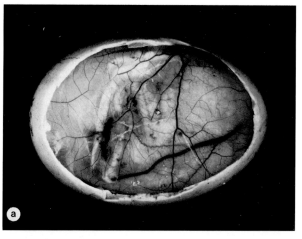

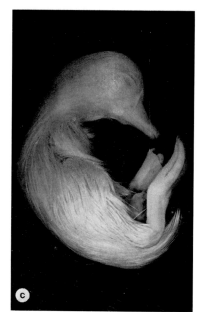

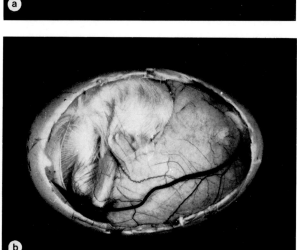

After twenty-four days

Limbs Length of third toe 23.5
± 1.3 mm.
Yolk sac Retraction into the body
cavity may start about this time.
Intestine Idem.
Air chamber May be pipped.

Nach vierundzwanzig Tagen

Extremitäten Länge der dritten
Zehe 23,5 ± 1,3 mm.
Dottersack Die Einziehung in die
Körperhöhle kann um diese Zeit
anfangen.
Darm Ebenso.
Luftkammer Kann angepickt sein.

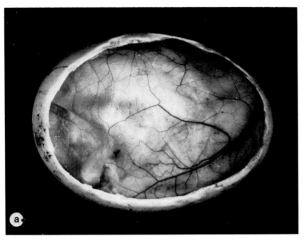

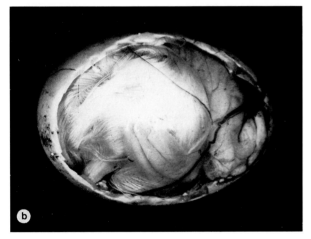

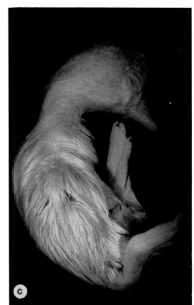

After twenty-five days

Limbs   Length of third toe 25.2 ± 1.0 mm.

Beak   Length from corner to distal edge of upper jaw 16.9 ± 0.4 mm.

Yolk sac   Sometimes partially retracted into the body cavity.

Intestine   May still be visible.

Egg shell   From this stage the shell may be pipped.

Nach fünfundzwanzig Tagen

Extremitäten   Länge der dritten Zehe 25,2 ± 1,0 mm.

Schnabel   Länge von dem Mundwinkel bis zum distalen Rand des Oberkiefers 16,9 ± 0,4 mm.

Dottersack   Mitunter teilweise in die Körperhöhle hereingezogen.

Darm   Kann noch sichtbar sein.

Eierschale   Von diesem Stadium an kann die Schale angepickt sein.

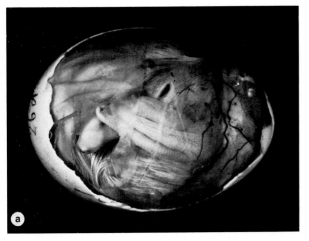

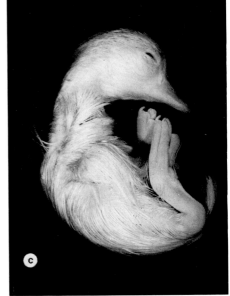

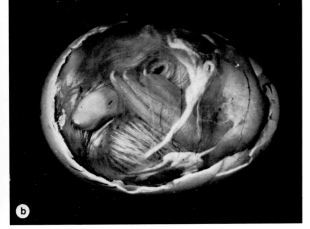

After twenty-six days

Limbs   Length of third toe 25.7 ± 2.3 mm.

Yolk sac   Partially, or in a few cases wholly, drawn into the body cavity.

Intestine   Not visible anymore.

Nach sechsundzwanzig Tagen

Extremitäten   Länge der dritten Zehe 25,7 ± 2,3 mm.

Dottersack   Teilweise (in wenigen Fällen ganz) in die Körperhöhle hineingezogen.

Darm   Nicht mehr sichtbar.

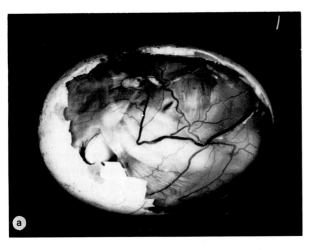

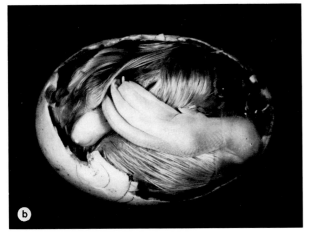

After twenty-seven days

Limbs   Length of third toe 27.4 ± 1.8 mm.

Beak   Length from corner to distal edge of upper jaw 17.9 ± 1.8 mm.

Yolk sac   Usually entirely drawn into body.

Chorio-allantois   Blood circulation has stopped.

Shell   Not removable anymore without destroying the chorio-allantois (for this reason there is no Figure 27a).

Amnion   Degenerating, mostly only remnants present.

Nach siebenundzwanzig Tagen

Extremitäten   Länge der dritten Zehe 27,4 ± 1,8 mm.

Schnabel   Länge von dem Mundwinkel bis zum distalen Rand des Oberkiefers 17,9 ± 1,8 mm.

Dottersack   Gewöhnlich ganz in den Körper hineingezogen.

Chorio-Allantois   Blutkreislauf hat aufgehört.

Schale   Kann nicht mehr entfernt werden ohne die Chorio-Allantois zu zerstören (deshalb gibt es keine Abbildung 27 a).

Amnion   Degeneriert (meistens nur Reste vorhanden).

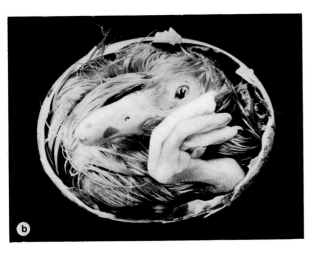

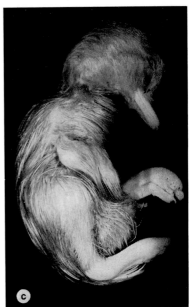

After twenty-eight days

Newly hatched duckling
Limbs   Length of third toe 28.9
± 1.2 mm.

Nach achtundzwanzig Tagen

Eben geschlüpfte Ente.
Extremitäten   Länge der dritten
Zehe 28,9 ± 1,2 mm.

References / Literaturverzeichnis

– Hamburger, V., & H. L. Hamilton. 1951. A series of normal stages in the development of the chick embryo. J. Morph. 88: 49-67.
– Künzel, E. 1962. Die Entwicklung des Hünchens im Ei. Paul Parey, Berlin & Hamburg.
– Romanoff, A. L. 1960. The avian embryo. Macmillan, New York.